Ná seol ar an Titanic!

Seachain!

KU-168-073

LIBRARIES NI
WITHDRAWN FROM STOCK

Scríofa ag
David Stewart

Maisithe ag
David Antram

Cruthaithe agus deartha ag
David Salariya

Leagan Gaeilge le
Bríd Ní Mhaoileoin

Futa Fata

Clár

Tús an scéil

Seo an bhliain 1907. Is tusa J. Bruce Ismay agus tá tú i gceannas ar chomhlacht mór long, an *White Star Line*. Tá comhlacht mór eile, *Cunard*, tar éis an **línéar*** *Lusitania* a lainseáil. Tá sí ollmhór – 241 méadar ar fad – agus seolann sí go hiontach tapa. Tá rún agatsa línéar den scoth a thógáil a bheidh 30m níos faide arís agus 30,000 tonna níos troime. Beidh turasóirí saibhre ag taisteal ar do longsa, chomh maith le daoine bochta atá ag dul go Meiriceá ag lorg oibre. Buaileann tú le William Pirrie, stiúrthóir Harland & Wolff i mBéal Feirste. Ba iad siúd a thóg na báid ar fad don *White Star Line* go dtí seo. Socraíonn sibh go dtógfaidh siad trí long eile daoibh.

Ar an 10 Aibreán 1912, ag meán lae, fágfaidh an *Titantic* Southampton Shasana den chéad uair. Tá sí chun an tAigéan Atlantach a thrasnú, le bheith i Nua-Eabhrac laistigh de sheacht lá. Is í an long is mó ar domhan í, agus an ceann is breátha (do lucht an airgid ar aon nós!). Beidh tú féin ar bord an Titanic ar a céad aistear. Níl barúil agat faoina bhfuil i ndán duit...

*Tá míniú ar fáil i gcúl an leabhair ar fhocail a bhfuil **cló trom** orthu.

An Titanic á dearadh

Is tusa
J. Bruce Ismay

Tá mise chun trí cinn de na longa is breátha ar domhan a thógáil.

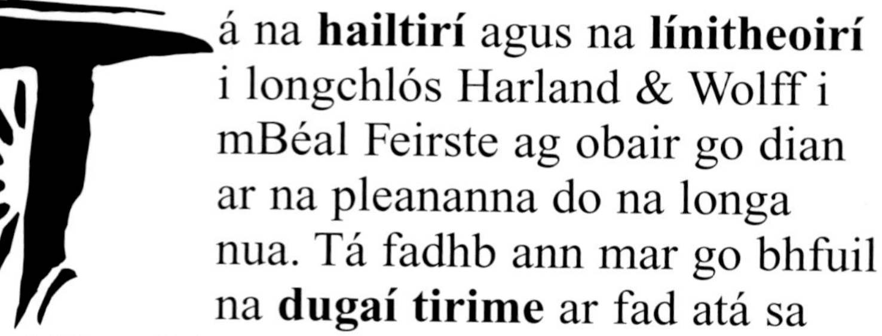

Tá na **hailtirí** agus na **línitheoirí** i longchlós Harland & Wolff i mBéal Feirste ag obair go dian ar na pleananna do na longa nua. Tá fadhb ann mar go bhfuil na **dugaí tirime** ar fad atá sa **longchlós** róbheag! Mar sin, caithfear cinn níos mó a thógáil. Ar an 29 Iúil tá na pleananna réidh. Tosaítear ar an obair ar an chéad línéar, an *Olympic*, ar an 16 Nollaig 1908, agus trí mhí ina dhiaidh sin, ar an 31 Márta 1909, tosaítear ar an *Titanic*.

Rugadh i Learpholl Shasana sa bhliain 1862 thú. Ba é d'athair a bhunaigh an *White Star Line* sa bhliain 1869. Dhíol sé an comhlacht sa bhliain 1902, ach iarradh ortsa fanacht i do bhainisteoir air.

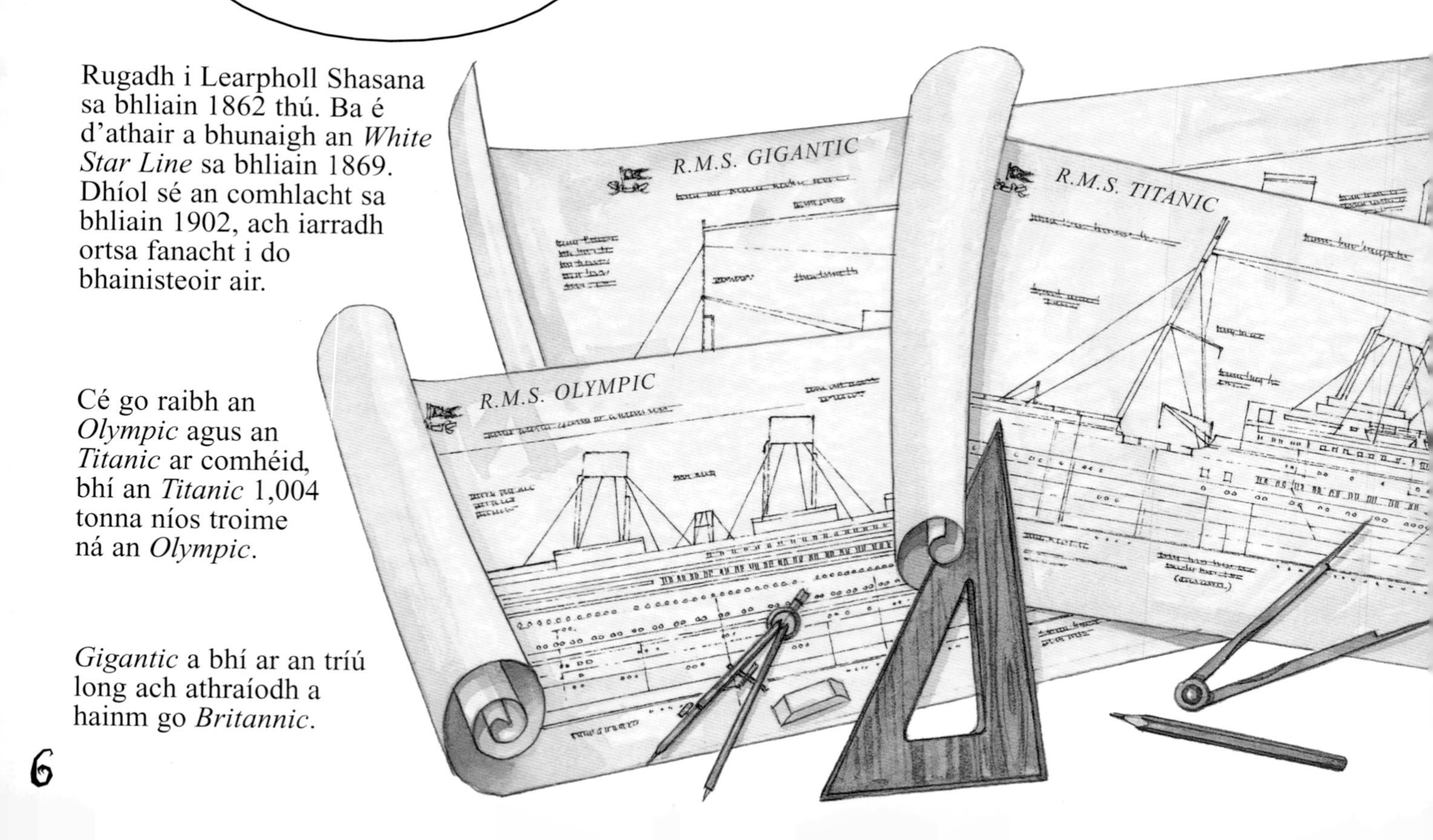

Cé go raibh an *Olympic* agus an *Titanic* ar comhéid, bhí an *Titanic* 1,004 tonna níos troime ná an *Olympic*.

Gigantic a bhí ar an tríú long ach athraíodh a hainm go *Britannic*.

Sonraí Teicniúla
Meáchan: 47,070 tonna de **mhórthonnáiste**
Meáchan cabhlach: 29,586 tonna
Fad: 269 m
Leithead: 28 m
Ancairí: Trí cinn a bhfuil 36 thonna meáchain iontu san iomlán
Meáchan 80 cileagram atá i ngach lúb sa slabhra
Meáchan stiúrach: 9,185 cileagram
Coirí: 29 gcoire ina bhfuil breis agus 100 tonna meáchan an ceann
Liáin: Trí cinn – ceann amháin 5m agus dhá cheann 7m ar leithead
Simléir: Ceithre cinn. Níl ach trí cinn in úsáid.
Costas: £1,300,000 (i 1912)
Nod Beag
Tá sé chomh maith agat na pleananna céanna a úsáid do na trí long!
Cé mhéad duine a bheidh ar bord?
De réir an dlí, caithfidh báid tharrthála a bheith ar bord le 962 duine a iompar. Ach tá spás againne le 1,178 duine a thabhairt slán.
Tá spás ann do 3,511 duine.

Long 'nach féidir' a chur go tóin poill

Tá na pleananna agat agus tá **duga tirim** agat leis an *Titanic* a thógáil. Níl uait anois ach na hoibrithe. Beidh thart ar 11,300 duine ag teastáil. Is contúirteach an áit é **longchlós** Harland & Wollf. Tharla 240 timpiste san iomlán go dtí seo, agus maraíodh ochtar oibrí. Mar sin, beidh ar na hoibrithe a bheith cúramach. Ar dtús, déanfaidh siad an cíle, nó cnámh droma an bháid. Ansin, déanfaidh siad an cnámharlach, nó an fráma, as cruach agus adhmad. Cuirfear "craiceann" ar an gcnámharlach, a bheidh déanta de **leatháin mhiotail** ollmhóra. Beidh 10 gcinn de dheiceanna san iomlán ann. Beidh an **chabhail** roinnte i 16 pháirt atá **uiscedhíonach**. Fiú dá mbeadh ceithre cinn díobh seo lán uisce, ní rachadh an *Titanic* go tóin poill.

NA SEAMAIRÍ – Ceanglaíonn na seamairí **leatháin** ollmhóra cruacha de na frámaí.

NA hANCAIRÍ – Beidh trí ancaire in úsáid ag an *Titanic*. Tá 17 dtonna meáchain sa cheann is troime acu. Beidh 20 capall ag teastáil lena n-iompar ón longchlós.

Nod Beag
Seachain! **Seamanna** ar seachrán!
Tá an lián sin 5 mhéadar ar leithead!

Cuireadh chuig an Lainseáil

Scaoiltear **cabhail** fholamh an *Titanic* síos an **fánán** ar an 31 Bealtaine 1911. Tá sí ar snámh laistigh de 60 soicind. Ach tá sé fós gan bhaisteadh fós í, mar tá sé de nós ag an *White Star Line* na longa a lainseáil gan ainm.

Cuireadh Oifigiúil
Lainseáil
an
'TITANIC'
Galtán Trí Lián
An White Star Line
i mBéal Feirste
Dé Céadaoin, 31 Bealtaine, 1911
12.15 i.n.

Na hoibrithe ar bord

Príomh-innealtóir

Leictreoir

Déantóir ***coirí***

Stócálaí

Cothro-móir

Maor

Gréisceoir

Printíseach

NA SEOMRAÍ **COIRE** – Tá 73 chothromóir agus 177 stócálaí ag obair sna seomraí coire.

Tá 29 gcoire ar an long seo!
Agus gach ceann díobh 5m ar airde!

SÍOS AN **FÁNÁN.** Tá 23 thonna de ghallúnach, de bhealadh agus d'ola mhíl mhóir ag teastáil chun an long ollmhór seo a ligean síos an **fánán**. Sa deireadh, sleamhnaíonn an *Titanic* síos 550 méadar. Stopann 6 ancaire agus dhá shlabhra ollmhóra í.

Bí ar na dugaí go luath más mian leat jab ag stócáil na dtinte. Seans go mbeidh duine de na gnáthoibrithe as láthair.

Sclábhaíocht atá anseo! Gan de phá ach 5 phunt agus 10 scilling sa mhí.

Agus an long ar snámh, cuirtear an t-innealra, **na coirí** agus na simléir ar bord. Ina dhiaidh seo, déanfar an taobh istigh den long a mhaisiú. Tógfaidh seo 10 mí. Jab ollmhór atá i gceist. Sa deireadh, ar an 2 Aibreán 1912, tá an *Titanic* réidh le tosú ar na trialacha farraige.

An Fhoireann

Tá an captaen Edward John Smith ag obair don *White Star Line* ó bhí 1904 ann. Bíonn sé i gceannas ar gach uile long nua de chuid an chomhlachta, agus beidh sé i gceannas ar an *Titanic* ar a céad aistear. Tá meas ag na paisinéirí agus ag an gcriú ar an gCaptaen Smith. Tá paisinéirí saibhre ann a dhiúltaíonn dul ar bord loinge mura bhfuil Smith ina chaptaen uirthi. Saothraíonn Smith a bhfad níos mó ná aon chaptaein eile, £1,250 sa bhliain. Sin 300 oiread an phá a fhaigheann na stíobhaird. Is é seo aistear deireanach Smith – tá sé ag éirí as a phost ina dhiaidh seo.

An Criú:

AN CAPTAEN SMITH – Tá Smith i gceannas ar chriú a bhfuil 892 duine san iomlán ann. Tá 73 oifigeach agus mairnéalach ag obair ar deic, 325 ball criú ag obair sna seomraí innill, agus 494 ag obair mar stíobhaird.

Captaen

NA hOIFIGIGH – Tuilleann na hoifigigh idir £9 agus £25 sa mhí ag brath ar an taithí atá acu.

Oifigeach

NA MAIRNÉALAIGH – Tuilleann na mairnéalaigh thart ar £5 sa mhí. Oibríonn siad sealanna de cheithre huaire an chloig agus bíonn ocht n-uaire an chloig saor acu.

Mairnéalach

Dá luaithe a bheimid i Nua-Eabhrac is ea is fearr é!
Níor chóir brú a chur ar na hinnill ar an gcéad turas, a Uasail Ismay.

Nod beag
(Don chriú amháin)

Bí an-deas leis na paisinéirí! Seans go dtabharfaidís **síneadh láimhe** duit!

Conas a oibríonn galchoire?

GALTÁN TRÍ LIÁN – Is **galtán trí lián** é an *Titanic* a bhfuil cúig inneall air. Déantar gal sna seomraí **coire** agus téann seo i bpíopaí chuig na seomraí innill. Tar éis don ghal dul trí na hinnill, déantar uisce arís dí agus is féidir an t-uisce a athúsáid.

NA STÍOBHAIRD – Bíonn cuid de na stíobhaird ag obair mar fhreastalaithe agus cuid eile acu ag obair sna cábáin. Is féidir le stíobhard £3 agus 15 scilling sa mhí a thuilleamh, ag obair 17 n-uaire an chloig sa lá.

Stíobhaird

NA CÓCAIRÍ – Tá beirt phríomhchócaire ar bord i mbun dhá chistin agus 35 chócaire.

Cócaire

NA hOIBRITHE TRÁDSTÓRÁLA – Tá triúr acu seo ar bord agus beirt chúntóir.

Oibrí trádstórála

Téigh ar bord!

Tá gach rud réidh. Is féidir leis na paisinéirí teacht ar bord. Tá trí ghrád de phaisinéirí ann – an chéad ghrád, an dara grád agus grád stírise nó an tríú grád. Mar cheannasaí an bháid, beidh tusa sa chéad ghrád, dar ndóigh!

Is do na paisinéirí saibhre an lóistín is compordaí. Is sa lóistín is bunúsaí a bheidh na paisinéirí stírise. Tá a lán de na paisinéirí bochta seo ag dul go Meiriceá ag lorg oibre.

AN ROINN STÍRISE – Tá an lóistín sa roinn stírise an-bhunúsach. Beidh na mná scartha ó na fir – na mná ar thaobh amháin den long, agus na fir ar an taobh eile. Tá cead ag teaghlaigh a bheith le chéile i gcábáin speisialta clainne.

Cuir scothchábán in áirithe duit féin. Beidh deic iomlán agat duit féin! Ach brostaigh! Níl ann ach dhá cheann acu agus £880 an ceann orthu.

Paisinéirí eile

Beidh go leor madraí ar an *Titanic*. Beidh seó madraí ann ar an Luan, an 15 Aibreán.

An stoc

Cad atá ag teastáil don turas fada:

BIA agus TREALAMH ar bord an *Titanic*: 4,990 kg éisc úr, 1,800 kg éisc triomaithe, 3,402 kg bagúin agus liamháis, 11,340 kg éineola agus géim, 1,134 kg ispíní, 6,820 l de bhainne úr, 44,000 píosa sceanra, 29,000 earra gloine, 34,020 kg feoil úr, 40,000 ubh úra, 40 tonna prátaí, 800 triopall asparagais, 1,000 buidéal fíona, 15,000 buidéal leanna, 12,000 pláta, 1,000 forc oisrí, 15,000 gloine seaimpéine, 40,000 tuáille, 45,000 naipcín, 5 mhórphianó, 14 bád tarrthála adhmaid, 2 ghearrthóir adhmaid, 4 bhád inleacaithe Englehardt, 1,178 bád tarrthála san iomlán (Cogar, nach bhfuil 2,206 duine ar bord? Ach cén dochar, tá an *Titanic* doscriosta!), 3,560 seaicéad tarrthála, 49 baoi tarrthála. LASTAS: Wakem & McLaughlin – 43 cás fíona, 25 cás brioscaí. Spaulding & Brothers – 34 cás earraí luthchleasaíochta. Park & Tilford – 5 chás earraí druga, cás scuab. Maltus & Ware – 8 gcás magairlín. Comhlacht Spencerian Pen – 4 chás peann. Sherman Sons & Cuid. – 7 gcás cadáis. Claflin, H.B. & Cuid. – 12 cás lása cadáis. Muser Brothers – 3 chás ciarsúr páipéir. Rydeman & Lassner – cás fialsíoda. Petry, P.H. & Cuid. – cás fialsíoda. Metzger, A.S. – 2 chás fialsíoda. Mills & Gibb – 20 cás cadáis, cás lámhainní. Field, Marshall & Cuid. – cás lámhainní. Comhlacht NY Motion Pic. – cás scannán. Thorburn, J.M. & Cuid. – 3 chás bolgán. Comhlacht Rawstick Trading. – 28 mála bataí. Dujardin & Ladnick – 10 mbosca mealbhacán. Tiffany & Cuid. – bosca poirceallán. Lustig Bros. – 4 chás hataí. Keyper, P.C. & Cuid. – cás bandaí leaisteacha, cás leathair. Cohen, M. Bros. – 5 phacáiste craicne. Comhlacht Gross, Engle – 61 cás fialsíoda. Comhlacht Gallia Textile – cás earraí lása. Calhoun, Robbins & Cuid. – cás cadáis, ½ chás scuab. Victor & Achiles – cás scuab. Baumgarten, Wm & Cuid. – 3 chás troscán. Comhlacht Spielman – 3 chás síprise. Nottingham Lace Works – 2 chás cadáis. Naday & Fleisher – cás iallacha. Rosenthal, Leo J. & Cuid. – 4 chás cadáis. Leeming, T. & Cuid. – 7 gcás brioscaí. Comhlacht Crown Perfume – 3 chás cumhrán gallúnaí. Meadows, T. & Cuid. – 5 chás leabhar, 3 bhosca samplaí, cás páir. Thomas & Pierson – 2 chás crua-earraí, 2 chás leabhar, 2 chás troscán. Comhlacht American Express – cás leaisticí, cás gramafón Edison, 4 chás…

Chomh maith le bheith ina línéar paisinéirí, tabharfaidh an *Titanic* an post ón mBreatain go Meiriceá. Deirtear go bhfuil barraí óir ar bord freisin. Tá siad cláraithe mar 'phost' lena gcoinneáil faoi rún. Tá **bolg** ollmhór sa *Titanic* agus é lán de gach uile shórt ruda ó chnónna go cleití ostraise. Tá cuid de na paisinéirí saibhre ag tabhairt carranna leo, fiú amháin!

Cúig mhórphianó?
Ná bí buartha! Beidh spás go leor ann!

Nod Beag

Tá luach £85,000 de lastas ar bord an *Titanic*. Bí cinnte go gcuireann tú do chuid stuif faoi árachas.

Seo linn! Slán le Southampton!

Lucht an airgid ar bord

John Jacob Astor VI

Benjamin Guggenheim

Isidor Strauss agus a bhean

An Coirnéal Archibald Gracie

LUCHT AN AIRGID. Is é John Jacob Astor VI an duine is saibhre ar bord. Tá an fear gnó Benjamin Guggenheim ar bord chomh maith. Tá Isidor Strauss agus a bhean ar bord. Is é Strauss a bhunaigh Macy's i Nua-Eabhrac. Bainfidh an Coirnéal Gracie clú agus cáil amach dó féin amach anseo ag insint scéal an *Titanic.*

Fágann an *Titanic* Southampton ag meán lae ar an 10 Aibreán 1912. Is beag nach dtarlaíonn timpiste idir an Titanic agus bád eile, an *New York*. Sroicheann an Titanic Cherbourg na Fraince le titim na hoíche. Is anseo a thagann na paisinéirí is saibhre ar bord. Ar an 11 Aibreán, tagann an *Titanic* isteach go dtí an Cóbh, i gCorcaigh, sul a dtugann sí aghaidh ar Mheiriceá.

An bealach go Nua-Eabhrac

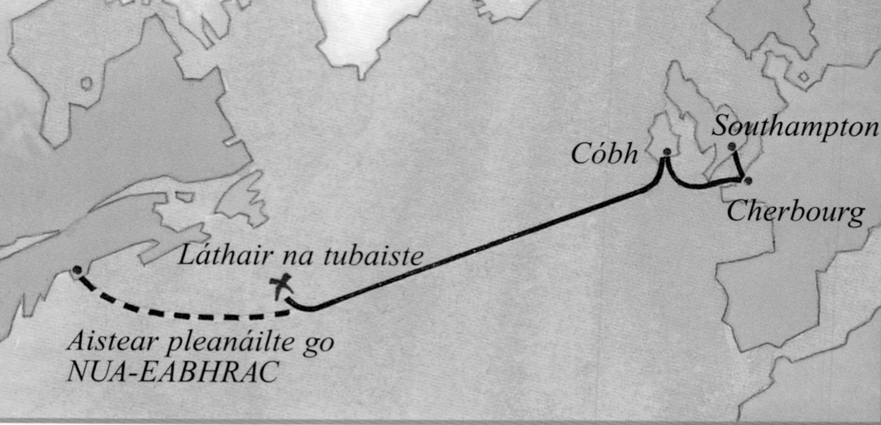

Briseann na tonnta a chruthaíonn **liáin** ollmhóra an *Titanic* ancaire an *New York,* agus is beag nach mbuaileann sí an *Titanic* (thíos).

Turas thart ar an long

SCOTHCHÁBÁIN SA CHÉAD GHRÁD – Seo na cábáin is mó agus is costasaí. Tá siad maisithe go han-ghalánta. Tá tinteán i ngach ceann acu.

Samhlaigh go gcaithfidh cuid de na daoine sa chéad ghrád seomra folctha a roinnt!

Tá obair iontach déanta ag dearthóirí an *Titantic*. Tá sí i bhfad chun tosaigh ar longa eile ó thaobh só agus saibhris de. Tá na seomraí sa chéad ghrád go háirithe galánta. Tá na cabáin fairsing agus compordach. Tá bialanna móra den scoth ann, chomh maith le leabharlann agus fiú amháin linn snámha agus halla gleacaíochta.

NA CÁBÁIN STÍRISE – Tá leapacha buinc do cheathrar i gcuid de na cábáin stírise, do phaisinéirí sa tríú grád. Tá siad compordach go leor.

Níl ach dhá fholcadán ann do na 710 paisinéir atá sa tríú grád!

An chéad ghrád

Tá ardaitheoirí sa chéad agus sa dara grád. Tá an príomhstaighre ar cheann de na rudaí is suntasaí ar an long, é soilsithe ag solas nádúrtha atá ag teacht trí fhuinneog ollmhór sa tsíleáil. Tá na seomraí sa dara grád measartha compordach, ach tá na seomraí sa tríú grád, nó na seomraí stírise, an-bhunúsach.

Bain úsáid as an halla gleacaíochta más paisinéir sa chéad ghrád thú. Más sa tríú grád atá tú, téigh ag damhsa!

An dara grád

Paisinéirí Stírise

Cnoic oighir amach romhainn!

Logleabhar an chaptaein:

Níor ghluais an long chomh tapa ariamh!

Tá cuireadh chun dinnéir faighte ag an gCaptaen Smith sa bhialann ar deic B.

Rabhadh eile, a chaptaein!

Tagann rabhadh eile faoi na cnoic oighir. An séú rabhadh inniu!

Tá do long ag seoladh i dtreo Nua-Eabhraic ag 22.5 muirmhíle san uair. Tá sí chomh tapa sin go mbeidh sí ann lá níos luaithe ná mar a bhíothas ag súil léi. Tá rabhaidh faighte agaibh ó bháid eile sa cheantar faoi chnoic oighir. Dúradh leis na fairtheoirí atá in airde ar an **gcrannóg** a bheith san airdeall ar na cnoic oighir, ach ní féidir mórán a fheiceáil gan **déshúiligh**! Ag 11.40 i.n., dúisíonn torann aisteach thú. Cuireann tú do chóta ort os cionn do chuid pitseámaí agus as go brách leat chun é seo a fhiosrú. Deir an Captaen Smith leat gur bhuail an long cnoc oighir, agus go bhfuil damáiste déanta dí, ach ní chreideann tú é.

Tá sé an-fhuar, a Uasail Lightoller
Tá. Céim amháin os cionn an reophointe.

Tá an fharraige ciúin agus an oíche dorcha. Fágann an Captaen Smith an seomra stiúrtha ag a 9.20 i.n. le dul a luí.

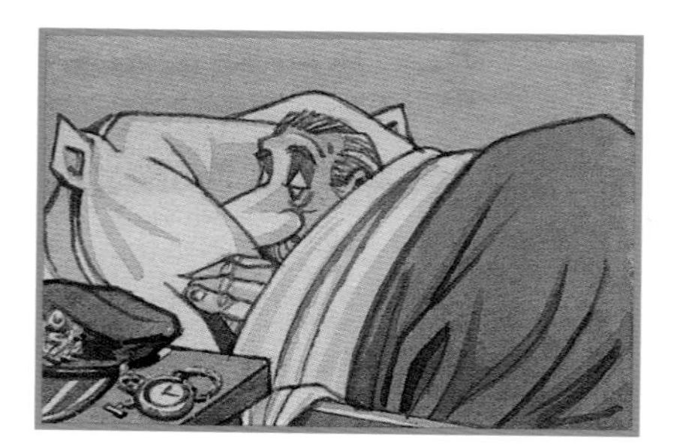

10.00 i.n.: Is é an tOifigeach Murdoch atá i gceannas ar an long anois agus tá an Captaen Smith ina chodladh go sámh.

11.40 i.n.: Feiceann na fairtheoirí cnoc oighir. Déanann an tOifeagach Murdoch iarracht an long a chúlú, ach tá sé rómhall.

Seachain!!
Nod Beag

Cuir teachtaireacht i **gcód Morse**. Bain úsáid as an gcód nua, an SOS, mar go bhfuil sé tapa agus furasta a úsáid.

DÁMAISTE DÉANTA DON LONG. Fainic! Tá damáiste déanta don long agus tá na **siúntaí** á réabadh. Tá an long ag déanamh uisce go tréan.

Bhuaileamar cnoc oighir!

11.50 i.n. Filleann Smith ar an seomra stiúrtha agus dúnann sé na doirse **uiscedhíonacha**. Níor chóir go rachadh an long go tóinn poill anois.

12.00 r.n. Scrúdaíonn sibh an long. Tá sí ag déanamh uisce.

Caithfidh an Captaen Smith a admháil go bhfuil a long ag dul go tóin poill. Tá sé in am SOS a chur amach.

Dúisigh! Cuir ort seaicéad tarrthála

Céard a dhéanfaidh tú?

Rith...
Bí suaimhneach...
...nó fan i do luí!

Go luath roimh an mheán oíche, tugann an Captaen Smith na horduithe don chriú na báid tharrthála a ullmhú. Tá ar na mná agus ar na páistí imeacht roimh na fir. Cuirtear an chéad bhád tarrthála san uisce ag 12.25 r.n., 45 nóiméad tar éis don long bualadh faoi chnoc oighir. Níl ann ach 28 paisinéir, cé go bhfuil spás ann do 65. Faoi 1.20 r.n., tá sé cinn de bháid tharrthála imithe. Tá an criú agus na hinnealtóirí ag obair go dian sna seomraí coire chun na caidéil agus na soilse a choinneáil ar siúl. Cuidaíonn tú le daoine teitheadh, agus ansin éalaíonn tú féin leat go fáilí.

"TAR AR AIS!" a bhéiceann an Captaen Smith as meigeafón ar na báid atá leathlán. Ach tá faitíos ar na daoine sna báid filleadh le breis paisinéirí a thógáil, ar eagla go dtiocfadh an iomarca daoine ar bord.

AG DUL GO TÓIN POILL? NÍ CHREIDIM É! Ní chreideann formhór na bpaisinéirí go bhfuil an long ag dul faoi uisce. Fanann daoine ar bord ag súil go dtarrthálfar iad. Tá eagla orthu roimh an Atlantach atá fuar agus dorcha. Diúltaíonn cuid mhór ban scaradh lena gcuid fear.

Nod Beag
Má éiríonn leat áit a fháil ar bhád tarrthála, tabhair leat pluid agus éadaí teolaí. Beidh sé ag sioc amuigh ar an bhfarraige.
'Long doscriosta' mo thóin!

Ag dul go tóin poill

Is mar seo a tharla:

Faoi 2.15 r.n. ar an 15 Aibreán tá ceithre cinn déag de bháid tharrthála, dhá bhád éigeandála, agus ceithre **bhád inleacaithe** imithe ón *Titanic.* Tá os cionn 1,500 duine fós ar bord. Tosaíonn deireadh na loinge ag ardú aníos as an bhfarraige. Tá uisce ag teacht isteach i ngach áit. Tá na soilse fós ar lasadh agus tá an banna ceoil fós ag casadh. Ag 2.18 r.n. tosaíonn na soilse **ag caochaíl**. Briseann na seamanna agus na **plainc deice**. Tá an long ag briseadh as a chéile. Tá torann uafásach ann. Nuair atá ceann an bháid faoi uisce, briseann sé ón gcuid eile den long agus téann sé go tóin poill. Agus tú ag imeacht, feiceann tú an *Titanic* ag dul faoi agus cloiseann tú an Captaen Smith ag tabhairt ordaithe do na daoine an long a fhágáil.

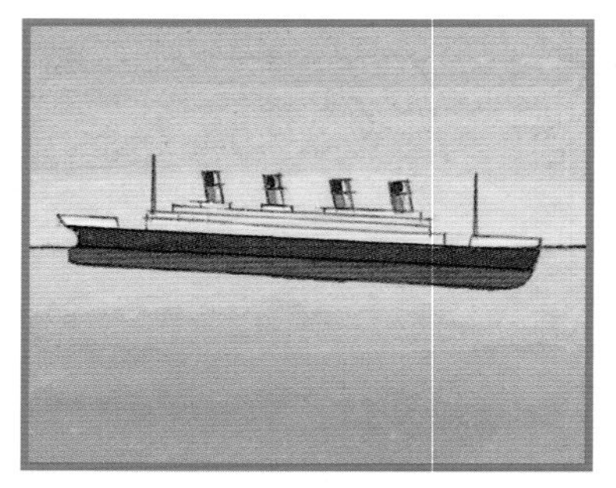

1) Tá uisce ag teacht isteach go tréan i 6 chuid éagsúla den long. Ní fiú dada na doirse **uiscedhíonacha**!

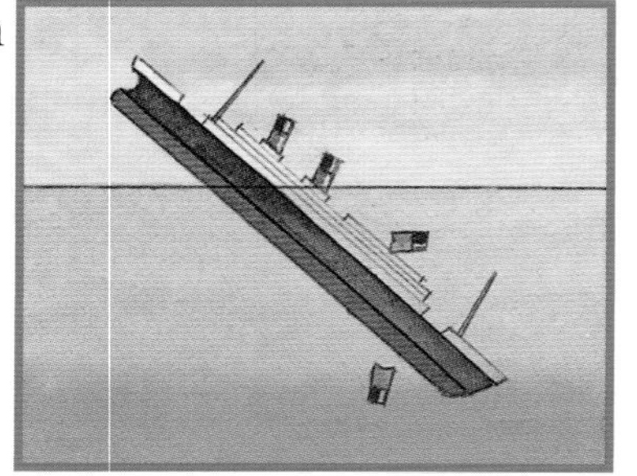

2) Tarraingíonn meáchan an uisce atá ag teacht isteach an long faoi uisce.

3) Tá tosach an bháid faoi uisce. Briseann an long ina dhá leath agus titeann an tosach go grinneal.

4) Tá deireadh na loinge ag gobadh amach as an uisce. Líonann sí le huisce agus téann sí go tóin poill.

TITANIC
Nod Beag
Iomraigh go dícheallach ionas nach dtarraingeoidh an *Titanic* an bád tarrthála go tóin poill léi.
Molly Brown
"Molly Brown Dobháite" a bheidh mar leasainm ar an mbean a théann i gceannas ar bhád tarrthála a 6. Cuireann sí na mná ag iomramh chomh maith leis na fir.

Críoch an scéil

Ní thagann ach duine amháin slán as an bhfarraige fhuar. Cailltear 1,500 duine ach ní fhaightear ach 306 de na coirp. Tugtar na mairbh ón gcéad ghrád abhaile lena gcur. Cuirtear na mairbh ón tríú grád, chomh maith leis an gcriú, isteach i málaí móra línéadaigh, agus cuirtear ar farraige iad. Íoctar pá leis an gcriú suas go dtí an uair a ndeachaigh an long go tóin poill.

Tar éis na tubaiste, cuirtear a lán ceisteanna. An raibh luas rómhór faoin *Titanic*? An raibh dóthain seaicéid tharrthála ar bord? Cuirtear dlí nua i bhfeidhm. As sin amach, ní mór seaicéad tarrthála a bheith ar bord do gach duine, agus caithfidh longa druil rialta sábháilteachta a dhéanamh. Ní mór faire raidió 24 uair an chloig a bheith ar gach long.

Ní báite atá siad ach préachta!
Féach! Tá duine beo ansin!

Seo chugainn an S.S. Carpathia

Níl an S.S. CARPATHIA ach 93km ón *Titanic* nuair a thagann an SOS. Seolann sí chomh tapa agus is féidir léi agus sroicheann sí an *Titanic* ag 4.10 r.n.

Tugann an *Carpathia* 705 marthanóir slán go Nua-Eabhrac.

Cad a tharlaíonn duitse?

Cad a tharlaíonn do J. Bruce Ismay? Tagann tú slán ón tubaiste, ach tá do chlú millte mar gur thréig tú do pháisinéirí. Éiríonn tú as do phost leis an *White Star Line* agus bronnann tú suim mhór airgid ar bhaintreacha chriú an *Titanic*. Bogann tú go Conamara, Co. na Gaillimhe, áit a bhfaigheann tú bás i 1937 agus tú 74 bliain d'aois. Ní thugann tú ráiteas oifigiúil uait ar an tubaiste tar éis an imscrúdaithe.

Foclóirín

ailtire Duine a dhearann nó a leagann amach bád nó teach

ancaire Meáchan miotail ar rópa nó ar shlabhra chun bád nó long a choinneáil in áit amháin

bolg An spás a bhíonn ar bhád don lastas

cabhail Corp an bháid gan aon trealamh ná troscán ann

caochaíl, ag Ag lasadh agus ansin ag múchadh

coire Pota m**ó**r le huisce a théamh le gual nó le hola

crannóg Ardán faire go hard ar bhád le féachaint an bhfuil dainséar ann

cód Morse Comhartha guaise ina bhfuil trí phonc, trí dhais agus trí phonc, mar seo: •••—-•••

cothromóir Duine a a chinntíonn go bhfuil an lasta guail ina luí go cothrom sa long

déshúiligh Spéaclaí ar leith le féachaint ar rudaí atá i bhfad uait, cosúil le dhá theileascóp greamaithe le chéile

duga tirim Áit sa longchlós chun bád a thógáil nó a dheisiú

fánán Bealach claonta chun bád a bhrú amach san uisce as an longchlós

galtán trí lián Bád gaile a bhfuil trí lián uirthi

inleacaithe Má tá rud inleacaithe is féidir é a fhilleadh (lena dhéanamh níos lú)

leathán miotail Píosa cothrom miotail agus cruth dronuilleoige air

lián Gléas meicniúil a chasann timpeall chun rud a bhrú trí uisce nó aer

línéar Long a iompraíonn lastas agus paisinéirí

línitheoir Duine a dhéanann pleananna do bháid nó do thithe

longchlós Áit chun longa a thógáil nó a dheisiú

maor Duine a chinntíonn go bhfuil an fhoireann ag obair mar is ceart

meáchan cabhlach An meáchan atá sa chabhail, nó i gcorp na loinge

meáchan stiúrach An meáchan atá sa stiúir (an píosa miotail atá ag deireadh loinge chun an cúrsa a choinneáil)

mórthonnáiste Toirt an bháid, nó an spás atá ann

planc deice Píosa tiubh adhmaid a úsáidtear chun an deic a thógáil

seam Bolta a úsáidtear chun dhá phíosa miotail a ghreamadh le chéile

síneadh láimhe Airgead beag a thugtar do fhreastalaí mar bhuíochas

siúnta An áit a gceanglaítear dhá rud ina chéile, mar shampla dhá phíosa adhmaid

uiscedhíonach Má tá rud uiscedhíonach ní ligeann sé aon uisce isteach

Innéacs